O HOMEM É AQUILO QUE ELE PENSA

Copyright da tradução e desta edição © 2024 by Edipro Edições Profissionais Ltda.

Título original: *As a Man Thinketh*. Publicado pela primeira vez em 1903. Traduzido com base na 1ª edição.

Todos os direitos reservados. Nenhuma parte deste livro poderá ser reproduzida ou transmitida de qualquer forma ou por quaisquer meios, eletrônicos ou mecânicos, incluindo fotocópia, gravação ou qualquer sistema de armazenamento e recuperação de informações, sem permissão por escrito do editor.

Grafia conforme o novo Acordo Ortográfico da Língua Portuguesa.

1ª edição, 2ª reimpressão 2025.

Editores: Jair Lot Vieira e Maíra Lot Vieira Micales
Produção editorial: Carla Bettelli e Richard Sanches
Edição de textos e revisão: Marta Almeida de Sá
Assistente editorial: Thiago Santos
Preparação de texto: Thiago de Christo
Diagramação: Mioloteca
Capa: Lumiar Design

Dados Internacionais de Catalogação na Publicação (CIP)
(Câmara Brasileira do Livro, SP, Brasil)

Allen, James, 1864-1912
    O homem é aquilo que ele pensa : use o pensamento para obter prosperidade, saúde e felicidade / James Allen ; tradução e notas Edson Bini. — 1. ed. — São Paulo : Edipro, 2024.

    Título original: As a Man Thinketh
    ISBN 978-65-5660-143-4 (impresso)
    ISBN 978-65-5660-144-1 (e-pub)

    1. Autoajuda 2. Ética (Moral filosófica) 3. Filosofia moral I. Título.

23-183618   CDD-170

Índice para catálogo sistemático:
1. Filosofia moral : 170

Tábata Alves da Silva – Bibliotecária – CRB-8/9253

São Paulo: (11) 3107-7050 • Bauru: (14) 3234-4121
www.edipro.com.br • edipro@edipro.com.br
 @editoraedipro   @editoraedipro

O livro é a porta que se abre para a realização do homem.
Jair Lot Vieira

James Allen

O HOMEM É AQUILO QUE ELE PENSA

Use o pensamento para obter prosperidade, saúde e felicidade

Tradução

Edson Bini

Tradutor há mais de quarenta anos, estudou Filosofia na Faculdade de Filosofia, Letras e Ciências Humanas da Universidade de São Paulo (USP). Realizou dezenas de traduções na área da filosofia para Martins Fontes e Loyola, entre outras editoras. Há mais de vinte anos faz traduções para o Grupo Editorial Edipro.

A mente é o poder soberano que molda e constrói,

e o ser humano é mente, e ele sempre empunha

a ferramenta do pensamento e, modelando o que quer,

produz mil alegrias, mil aflições.

Ele pensa em segredo, e acontece.

O ambiente é apenas seu espelho.

Sumário

Prefácio 8

Pensamento e caráter 10

Efeito do pensamento sobre as circunstâncias 18

Efeito do pensamento sobre a saúde e o corpo 42

Pensamento e objetivo 48

O fator pensamento na realização 56

Visões e ideais 64

Serenidade 74

Prefácio

Este pequeno volume (resultado de meditação e experiência) não visa a ser um tratado exaustivo em torno do poder do pensamento, tema que é objeto de muitos livros. É mais uma sugestão do que uma exposição; sua meta é estimular homens e mulheres a descobrir e perceber a verdade de que...

"Eles próprios são construtores de si mesmos..."

... por causa dos pensamentos que escolhem e promovem; de que a mente é a mestra da tecelagem, tecelã tanto da fibra interior do caráter quanto da fibra externa da circunstância, e que, tal como possam ter até aqui tecido na ignorância e no sofrimento, podem agora tecer no esclarecimento e na felicidade.

JAMES ALLEN
Broad Park Avenue,
Ilfracombe,
Inglaterra

Pensamento e caráter

O aforismo "como um ser humano pensa em seu coração assim é ele" não apenas abrange o todo do ser humano como é tão abrangente a ponto de estender-se a toda condição e toda circunstância de sua vida. Um ser humano é literalmente o que ele pensa, sendo o seu caráter a soma completa de todos os seus pensamentos.

Tal como a planta se origina da semente, e não poderia surgir sem ela, do mesmo modo todos os atos de uma pessoa originam-se das sementes ocultas do pensamento, não podendo surgir sem elas. Isso se aplica igualmente aos atos chamados de "espontâneos" e "não premeditados", bem como aos que são executados deliberadamente.

O ato é a flor do pensamento, ao passo que a alegria e o sofrimento são seus frutos; assim, uma pessoa realmente colhe e armazena os frutos doces e amargos daquilo que ela própria cultivou.

Na mente o pensamento nos produziu.
O que somos
pelo pensamento foi feito e construído.
Se a mente de um homem
contém pensamentos maus, o sofrimento o acompanhará como
a roda acompanha o boi que a move...
                                        ... Se alguém resiste
com o pensamento puro, a alegria o acompanha,
decerto, como a sua própria sombra.

O ser humano se desenvolve com base numa lei; ele não é uma criação artificial, e a lei de causa e efeito é tão absoluta e invariável no domínio oculto do pensamento quanto no mundo das coisas visíveis e materiais. Um caráter nobre

O HOMEM É AQUILO QUE ELE PENSA

e semelhante a Deus não é um produto do favorecimento ou do acaso, mas, sim, o resultado natural do esforço contínuo de um pensar correto, o efeito de uma associação com pensamentos divinos mitigada há muito tempo. Um caráter ignóbil e bestial, por meio do mesmo processo, é o resultado obtido por alguém que abriga continuamente pensamentos sórdidos.

O ser humano é feito ou desfeito por si mesmo; no arsenal do pensamento, ele forja as armas por meio das quais destrói a si mesmo; também fabrica as ferramentas com as quais constrói para si mesmo mansões celestiais de alegria, força e paz. Por meio da escolha certa e da verdadeira aplicação do pensamento, o ser humano alcança a Perfeição Divina; por meio do abuso e da aplicação errada do pensamento, ele desce abaixo do nível das feras. Entre esses dois extremos se encontram todos os graus do caráter, dos quais o ser humano é o construtor e o senhor.

De todas as belas verdades relativas à alma que foram restauradas e divulgadas nesta época, nenhuma causa maior alegria ou é mais divinamente promissora e geradora de confiança do que esta, ou seja, a de que o ser humano é o senhor do pensamento, aquele que molda o caráter e o construtor e formador das condições, do ambiente e do destino.

Na qualidade de um ser possuidor de Poder, Inteligência e Amor e senhor de seus próprios pensamentos, o ser humano tem a chave de todas as situações e contém dentro de si mesmo uma atividade transformadora e regeneradora por meio da qual lhe é possível fazer de si próprio o que ele quiser.

O ser humano é sempre soberano, até mesmo no seu estado de maior fraqueza e de maior abandono; entretanto, em sua fraqueza e degradação, ele é o senhor tolo que administra mal sua "casa". Quando ele começa a refletir a respeito de sua condição, e a buscar com determinação a Lei na qual o seu ser está estabelecido, torna-se então o senhor sábio que

O HOMEM É AQUILO QUE ELE PENSA

comanda suas energias de forma inteligente e molda seus pensamentos de modo a obter resultados frutíferos. Esse é o senhor *consciente*, e o ser humano só é capaz de tornar-se isso descobrindo *no interior de si mesmo* as leis do pensamento, descoberta que é totalmente uma questão de aplicação, autoanálise e experiência.

Só se obtêm ouro e diamantes graças a muita busca e mineração, e o ser humano pode descobrir toda verdade relacionada ao seu ser se cavar fundo na mina de sua alma; e ele poderá provar de maneira infalível que é o criador de seu caráter, o modelador de sua vida e o construtor de seu destino se observar, controlar e alterar seus pensamentos, rastreando os efeitos deles sobre si mesmo, sobre os outros e sobre sua vida e as circunstâncias, ligando causa e efeito por meio de prática e investigação pacientes e fazendo uso de todas as suas experiências, até mesmo da mais trivial ocorrência diária, como um meio de obter aquele autoconhecimento que é Entendimento, Sabedoria, Poder. É nesse sentido, e em nenhum outro, que aponta a lei absoluta de que "aquele que procura acha; e àquele que bate à porta ela será aberta"; pois somente mediante paciência, prática e importunidade incessante pode uma pessoa entrar pela Porta do Templo do Conhecimento.

Efeito do pensamento sobre as circunstâncias

A mente de um ser humano pode ser comparada a um jardim que pode ser cultivado de um modo inteligente ou não cultivado, ficando à mercê das ervas daninhas; mas, cultivado ou abandonado, ele necessariamente *produzirá* algo. Se sementes úteis não forem nele *lançadas*, então nele *cairá* uma enorme quantidade de sementes inúteis de ervas daninhas responsáveis pela produção contínua dessa mesma espécie.

Tal como um jardineiro cultiva seu pedaço de terra, o mantendo livre de ervas daninhas, e cultivando as flores e os frutos de que necessita, do mesmo modo, pode uma pessoa cuidar do jardim de sua mente, removendo todos os pensamentos errôneos, inúteis e impuros e cultivando rumo à perfeição as flores e os frutos dos pensamentos corretos, úteis e puros. Seguindo esse processo, uma pessoa, mais cedo ou mais tarde, descobre ser o jardineiro-chefe de sua alma, o diretor de sua vida. Também revela, dentro de seu próprio íntimo, as leis do pensamento e compreende, com uma exatidão sempre crescente, como as forças do pensamento e os elementos da mente operam na formação de seu caráter, nas circunstâncias e no destino.

Pensamento e caráter formam uma unidade, e como o caráter somente pode se manifestar e se revelar através do ambiente e das circunstâncias, se descobrirá sempre que as condições externas da vida de uma pessoa estarão harmoniosamente relacionadas com o seu estado interior. Isso não significa que as circunstâncias relativas a um ser humano numa dada ocasião são uma indicação do seu caráter

O HOMEM É AQUILO QUE ELE PENSA

na *integridade* deste, mas que essas circunstâncias estão tão intimamente ligadas a algum elemento vital do pensamento no interior dele próprio que, por enquanto, elas são indispensáveis ao desenvolvimento dessa pessoa.

Todo ser humano está onde está por força da lei de seu ser; os pensamentos incorporados por ele em seu caráter o conduziram a esse lugar, e na organização de sua vida não existe nenhum elemento do acaso, sendo tudo, pelo contrário, o resultado de uma lei infalível. Isso é tão verdadeiro no que se refere àqueles que se sentem "em desarmonia" com aquilo que os cerca quanto no que se refere aos que estão satisfeitos com o que os cerca.

Na qualidade de um ser que progride e se desenvolve, o ser humano está onde está para que possa aprender que pode crescer; e, na medida em que aprende a lição espiritual encerrada para ele em qualquer circunstância, esta deixa de existir e dá lugar a outras circunstâncias.

JAMES ALLEN

A pessoa é golpeada pelas circunstâncias enquanto acredita que ela mesma é a criatura das condições exteriores, mas quando compreende que ela é um poder criador e que pode controlar o solo e as sementes ocultos de seu ser a partir dos quais nascem as circunstâncias, torna-se, então, a legítima senhora de si mesma.

Que as circunstâncias *nascem* do pensamento, todo aquele que por qualquer período de tempo praticou o autocontrole e a autopurificação o sabe, pois terá percebido que a alteração ocorrida em suas circunstâncias foi exatamente proporcional à alteração de sua condição mental. Isso é tão verdadeiro que, quando uma pessoa se empenha seriamente em corrigir os defeitos em seu caráter, e de imediato obtém um êxito expressivo, logo supera uma sucessão de mudanças e problemas.

A alma atrai aquilo que secretamente acolhe, tanto o que ama quanto o que teme; alcança as alturas das aspirações

O HOMEM É AQUILO QUE ELE PENSA

por ela alimentadas; cai ao nível de seus desejos não disciplinados — e as circunstâncias são o meio pelo qual a alma recebe o que lhe pertence.

Toda semente do pensamento que é semeada ou que se permite cair na mente e nesta criar raízes produz o que lhe é próprio, florescendo mais cedo ou mais tarde na atividade e dando seus próprios frutos em matéria de oportunidades e circunstâncias. Bons pensamentos geram bons frutos, maus pensamentos, frutos maus.

O mundo exterior das circunstâncias se amolda ao mundo interior do pensamento, e tanto condições externas agradáveis quanto desagradáveis são fatores que ajudam a concretizar o bem último do indivíduo. Como aquele que colhe aquilo que ele próprio plantou, o ser humano aprende tanto por meio do sofrimento quanto por meio da felicidade.

Obedecendo aos desejos, às aspirações e aos pensamentos mais íntimos pelos quais se deixa dominar (perseguindo *os fogos-fátuos*[1] das imagens impuras ou caminhando com firmeza pela estrada do esforço vigoroso e elevado), um ser humano, enfim, alcança o seu gozo e a sua realização nas condições exteriores de sua vida. As leis do desenvolvimento e do ajuste continuam vigorando em todo lugar.

Uma pessoa não acaba num albergue para mendigos ou numa cadeia em virtude da tirania do destino ou das circunstâncias, mas por meio da senda dos pensamentos sórdidos e dos desejos baixos. Nem uma pessoa de mente pura se torna de repente criminosa graças à influência de uma mera força externa; o pensamento criminoso por muito tempo é secretamente alimentado no coração, e o momento da oportunidade revela seu poder acumulado. A circunstância não faz o homem; ela revela o homem a si mesmo.

---

1. No original, *"the will-o'-the-wisps"*, as metas enganosas ou as utopias. (N.T.)

O HOMEM É AQUILO QUE ELE PENSA

Condições tais como cair no vício e nos sofrimentos que o acompanham e dele resultam independentemente das inclinações para o vício ou elevar-se à virtude e à sua felicidade pura sem o cultivo contínuo de aspirações virtuosas não podem existir; e o ser humano, portanto, como senhor e mestre do pensamento, é o criador de si mesmo, o formador e gerador do ambiente. Mesmo por ocasião do nascimento, a alma alcança o que lhe é peculiar e, através de todas as etapas de sua peregrinação terrestre, atrai as combinações de condições que a revelam, que são os reflexos de sua própria pureza e impureza, de sua força e fraqueza.

As pessoas não atraem o que *desejam*, mas o que *são*. Seus caprichos, suas fantasias e ambições são contrariados a cada passo, mas seus pensamentos e desejos mais íntimos são nutridos com o seu próprio alimento, seja pútrido ou saudável. A "divindade que forma nossos objetivos" está em nós mesmos; é o nosso próprio eu. O ser humano somente é algemado por si mesmo: o pensamento e a ação são os carcereiros do Destino — aprisionam no caso da baixeza, são também os anjos da Liberdade, libertam no caso da nobreza. O ser humano não obtém aquilo que deseja e pelo que faz oração, mas aquilo de que, com justiça, é merecedor. Seus desejos e suas orações só são satisfeitos e atendidos quando se harmonizam com seus pensamentos e suas ações.

À luz dessa verdade, então, o que significa "lutar contra as circunstâncias"? Significa que alguém está se rebelando continuamente contra um efeito externo, enquanto todo o tempo nutre e preserva sua *causa* em seu coração. Essa causa pode assumir a forma de um vício consciente ou de uma fraqueza inconsciente; mas, seja lá o que for, retarda obstinadamente os esforços de seu possuidor e, assim, clama por uma correção.

As pessoas mostram-se ansiosas por melhorar as circunstâncias, mas não querem melhorar a si mesmas, por

O HOMEM É AQUILO QUE ELE PENSA

isso permanecem retidas. Aquele que não recua diante da dureza do sofrimento nunca deixa de alcançar o objeto do anseio de seu coração. Isso se aplica tanto às coisas terrenas quanto às coisas celestiais. Mesmo a pessoa cujo único objetivo é enriquecer tem de estar preparada para fazer grandes sacrifícios pessoais antes que possa atingir seu objetivo; e quanto mais sacrifícios deverá fazer aquela interessada em concretizar uma vida segura e bem equilibrada?

Vemos aqui uma pessoa que é desgraçadamente pobre. Deseja extremamente que aquilo que o cerca e seu conforto doméstico sejam melhorados e, no entanto, todo o tempo foge do trabalho e acha justificável tentar enganar seu empregador sob a alegação de que ganha pouco. Essa pessoa não entende os rudimentos mais simples dos princípios que são a base da verdadeira prosperidade, e não só lhe falta totalmente aptidão para superar sua condição miserável como também está realmente atraindo para si mesma uma condição ainda mais profundamente miserável ao abrigar interiormente pensamentos ligados à preguiça, ao engano e à fraqueza, e externamente agir em conformidade com eles.

Vemos ali um homem rico que é vítima de uma doença dolorosa e crônica resultante de glutonice. Está disposto a gastar muito dinheiro para livrar-se dessa doença, mas não está disposto a sacrificar seus desejos de comilão. Quer satisfazer ao seu paladar com iguarias deliciosas e que não são saudáveis e, ao mesmo tempo, ter saúde. Esse homem está totalmente despreparado para ter saúde porque não aprendeu ainda os princípios básicos de uma vida saudável.

Eis aqui outra pessoa, um empregador de mão de obra que adota medidas desonestas para evitar pagar o salário normal e, na esperança de aumentar seus lucros, reduz os salários de seus empregados. Essa pessoa não tem a menor aptidão para a prosperidade e, quando se encontrar falida, tanto no que se refere à sua reputação quanto no que se refere aos seus recursos financeiros, irá culpar as circunstâncias, sem consciência de que é o único autor de sua condição desastrosa.

Apresentei esses três casos apenas como exemplos da verdade de que o ser humano é o causador (embora quase sempre inconscientemente) das circunstâncias em que se encontra, e de que, enquanto visa a um objetivo positivo, está constantemente frustrando a sua realização pelo fato de promover pensamentos e desejos que são possivelmente incompatíveis com aquele objetivo. Casos como esses poderiam ser multiplicados, inclusive nas suas variedades, quase que indefinidamente, mas isso não é necessário na medida em que o leitor possa, se for esta sua resolução, investigar e reconhecer a ação das leis do pensamento em sua própria mente e em sua própria vida; até que isso seja feito, meros fatos externos não poderão servir de fundamento para reflexão.

Entretanto, as circunstâncias são tão complicadas, o pensamento é tão profundamente arraigado e as condições de felicidade variam com tal amplitude entre os indivíduos que a *completa* condição psíquica de uma pessoa (ainda que possa ser conhecida por ela mesma) não pode ser avaliada por outra pessoa apenas com base no aspecto externo de sua vida. É possível que alguém seja honesto dentro de certas orientações e, todavia, sofra privações; alguém pode ser desonesto dentro de certas orientações e, no entanto, enriquecer. Mas a conclusão à qual em geral se chega, de que alguém fracassa *por causa de sua particular honestidade* e de que outra pessoa prospera *por causa de sua particular desonestidade*, resulta de uma avaliação superficial, que supõe que a pessoa desonesta é quase totalmente corrupta, ao passo que a pessoa honesta é quase inteiramente virtuosa. À luz de um conhecimento mais profundo e uma experiência mais ampla, constata-se que essa avaliação é errônea. É possível que o

O HOMEM É AQUILO QUE ELE PENSA

indivíduo desonesto tenha algumas qualidades admiráveis que o outro não tem, e o indivíduo honesto, vícios detestáveis dos quais o outro não é detentor. A pessoa honesta colhe os bons frutos de seus pensamentos e atos honestos, mas também atrai para si os sofrimentos gerados por seus vícios. A pessoa desonesta, do mesmo modo, colhe seu próprio sofrimento e sua própria felicidade.

Agrada à vaidade humana acreditar que alguém sofre por causa de suas qualidades morais, mas só quando uma pessoa extirpou de sua mente todo pensamento doentio, amargo e impuro e lavou de sua alma toda mácula pecaminosa está em condição de saber e admitir que seus sofrimentos são o resultado de suas boas qualidades, e não das más; e, a caminho da suprema perfeição, embora muito antes de atingi-la, terá descoberto, operando em sua mente e em sua vida, a Grande Lei que é absolutamente justa e que, portanto, não pode retribuir o bem com o mal e o mal com o bem. De posse desse conhecimento, a pessoa saberá, então, ao pensar na sua ignorância e cegueira passadas, que sua vida é e sempre foi organizada de maneira justa, e que todas as suas experiências passadas, boas e ruins, foram o trabalho justo do seu eu em evolução, ainda que não evoluído.

Pensamentos e atos bons jamais podem produzir resultados maus; pensamentos e atos maus jamais podem produzir resultados bons. Isso é apenas dizer que nada pode provir do milho exceto milho, nada das urtigas exceto urtigas. No que diz respeito ao mundo natural, os seres humanos entendem essa lei e operam com ela. Mas poucos a entendem no mundo mental e moral (embora sua operação aí seja tão simples e invariável quanto no natural); o resultado dessa incompreensão é não cooperarem com ela.

O sofrimento é *sempre* o efeito de um pensamento errado em alguma direção. É uma indicação de que o indivíduo não está em harmonia consigo mesmo, com a Lei de

O HOMEM É AQUILO QUE ELE PENSA

seu ser. A única e suprema função do sofrimento é purificar, destruir tudo que é inútil e impuro. Para aquele que é puro, o sofrimento cessa. Não haveria sentido em calcinar o ouro depois de a escória ter sido removida, e não seria possível que um ser perfeitamente puro e iluminado sofresse.

As circunstâncias acompanhadas de sofrimento com as quais uma pessoa topa são o resultado de sua própria desarmonia mental. As circunstâncias acompanhadas de felicidade com as quais uma pessoa topa são o resultado de sua própria harmonia mental. A felicidade, não as posses materiais, é a medida do pensamento correto; a infelicidade, não a falta de posses materiais, é a medida do pensamento incorreto. Um ser humano pode ser amaldiçoado e rico; pode ser abençoado e pobre. Felicidade e riqueza somente se combinam quando a riqueza é usada de modo correto e sábio; e o indivíduo pobre só mergulha na infelicidade quando considera seu lote um fardo imposto injustamente.

Indigência e indulgência são os dois extremos da infelicidade. Ambas são igualmente contrárias à natureza e o resultado de desequilíbrio mental. Um ser humano não se encontra em sua condição correta enquanto não se torna um ser feliz, sadio e próspero; e a felicidade, a saúde e a prosperidade resultam de um ajuste harmonioso do interior com o exterior, do ser humano com o que o cerca.

O ser humano só começa a ser humano quando cessa com seus queixumes e insultos e inicia sua busca pela justiça oculta que rege sua vida. E, na medida em que ajusta sua mente a esse fator regulador, para de acusar os outros de serem os causadores de sua condição e constrói a si mesmo com base em pensamentos sólidos e nobres; para de reclamar das circunstâncias e, em vez disso, começa a *usá-las* como auxiliares em seu progresso mais rápido e como um meio de descobrir os poderes e as possibilidades ocultos no interior de si mesmo.

O HOMEM É AQUILO QUE ELE PENSA

Lei, não confusão, é o princípio dominante no universo; justiça, não injustiça, é a alma e a substância da vida, e retidão, não corrupção, é a força modeladora e motriz no governo espiritual do mundo. Assim sendo, tudo que o ser humano tem a fazer é corrigir-se para descobrir que o Universo é correto; e, durante o processo de correção de si mesmo, ele descobrirá que, na medida em que altera seus pensamentos com relação às coisas e às outras pessoas, as coisas e as outras pessoas mudam em relação a ele.

A prova dessa verdade está em toda pessoa e, portanto, admite uma fácil investigação por meio de introspecção sistemática e autoanálise. Quando alguém altera radicalmente seus pensamentos se surpreende com a rápida transformação produzida nas condições materiais de sua vida. As pessoas imaginam que o pensamento pode ser mantido secreto, mas não pode; ele não demora a cristalizar-se no hábito, e o hábito se consolida nas circunstâncias.

Pensamentos animalescos se cristalizam em hábitos de embriaguez e sensualidade, os quais se consolidam nas circunstâncias que envolvem privações e doença; pensamentos impuros de todo tipo cristalizam-se em hábitos debilitantes e confusos, os quais se consolidam em circunstâncias que envolvem perturbação e adversidade; pensamentos que contêm medo, dúvida e indecisão cristalizam-se em hábitos de fraqueza, covardia e incapacidade de determinação, os quais se consolidam em circunstâncias que envolvem fracasso, pobreza e dependência servil; pensamentos que abrigam preguiça cristalizam-se em hábitos de falta de asseio e desonestidade, os quais se consolidam em circunstâncias que envolvem vileza e mendicância; pensamentos de ódio e condenação cristalizam-se em hábitos de acusação e violência, que se consolidam em circunstâncias de injúria e perseguição; pensamentos egoístas de todos os tipos cristalizam-se em hábitos de egocentrismo,

O HOMEM É AQUILO QUE ELE PENSA

os quais se consolidam em circunstâncias mais ou menos penosas. Por outro lado, pensamentos muito bons de todos os tipos cristalizam-se em hábitos de benevolência e bondade, que se consolidam em circunstâncias animadoras e felizes; pensamentos puros cristalizam-se em hábitos de moderação e autocontrole, que se consolidam em circunstâncias de tranquilidade e paz; pensamentos envolvendo coragem, autoconfiança e determinação cristalizam-se em hábitos corajosos, que se consolidam em circunstâncias de sucesso, abundância e liberdade; pensamentos de dinamismo cristalizam-se em hábitos de limpeza e empenho, que se consolidam em circunstâncias agradáveis; pensamentos de gentileza e perdão cristalizam-se em hábitos de amabilidade, que se consolidam em circunstâncias que promovem proteção e preservação; pensamentos de amor e altruísmo cristalizam-se em hábitos de abnegação em favor de outras pessoas, os quais se consolidam em

JAMES ALLEN

circunstâncias de prosperidade certa e duradoura e riquezas autênticas.

Se persistir uma particular linha de pensamento, seja esta boa ou má, ela não pode deixar de produzir seus resultados no caráter e nas circunstâncias. Não é possível a uma pessoa escolher *diretamente* as circunstâncias de sua vida, mas lhe é possível escolher seus pensamentos e, assim, indiretamente, porém com certeza, moldar suas circunstâncias.

A natureza auxilia toda pessoa a satisfazer aos pensamentos que ela mais estimula, produzindo oportunidades que, com máxima rapidez, farão vir à tona tanto os pensamentos bons quanto os maus.

No momento em que um ser humano deixa de alimentar pensamentos pecaminosos, todas as pessoas se tornam brandas com ele e se dispõem a ajudá-lo; afasta ele seus pensamentos débeis e doentios e veja: surgem oportunidades em toda parte vindas em auxílio de suas firmes resoluções;

O HOMEM É AQUILO QUE ELE PENSA

se ele oferecer estímulo aos bons pensamentos, nenhum destino cruel o prenderá à miséria e à vergonha. O mundo é o seu caleidoscópio, e as combinações variáveis de cores que a cada momento que passa ele apresenta a você são as fotografias apuradamente ajustadas de seus pensamentos sempre em movimento.

Você será o que quiser ser.
Que o fracasso encontre o seu falso conteúdo
na precária palavra "ambiente",
mas o espírito a despreza e é livre.

Domina o tempo, conquista o espaço;
intimida aquele malandro jactancioso, o Acaso,
e declara a tirana Circunstância
destronada, e ocupa o lugar de um servo.

A Vontade humana, essa força invisível,
a filha de uma Alma imortal,

pode abrir um caminho para qualquer meta,
ainda que intervenham muralhas de granito.

Não te impacientes na demora,
mas espera como alguém que compreende.
Quando o espírito ergue-se e ordena,
os deuses estão prontos a obedecê-lo.

Efeito do pensamento sobre a saúde e o corpo

O corpo é o servo da mente. Obedece às operações da mente, sejam estas deliberadamente escolhidas ou automaticamente expressas. Sob a ordem de pensamentos ilícitos, o corpo mergulha depressa na doença e na ruína; sob a ordem de pensamentos que contêm contentamento e bondade, ele se reveste de juventude e beleza.

Doença e saúde, assim como as circunstâncias, estão arraigadas no pensamento. Pensamentos doentios se expressam por meio de um corpo doentio. Sabe-se que pensamentos que geram medo matam um ser humano tão rápido quanto uma bala e estão continuamente matando milhares de pessoas com a mesma certeza, embora com menos rapidez. As pessoas que vivem com medo de doenças são as mesmas que as contraem. A ansiedade rapidamente perverte o corpo todo e o deixa exposto ao ingresso da doença, ao passo que pensamentos impuros, mesmo que não satisfeitos no âmbito físico, logo danificam o sistema nervoso.

Pensamentos íntegros, puros e promotores de felicidade transmitem vigor e elegância ao corpo. O corpo é um instrumento delicado e plástico que reage prontamente aos pensamentos que nele são impressos, e hábitos fundados no pensamento produzem seus próprios efeitos, bons ou maus, no corpo.

Enquanto propagarem pensamentos impuros, os seres humanos continuarão a ter um sangue impuro e envenenado. Uma vida pura e um corpo limpo são o produto de um coração puro. Uma vida maculada e um corpo degenerado são o produto de uma mente maculada. O pensamento é a fonte da ação, da vida e da manifestação; se tornamos a fonte pura, tudo será puro.

O HOMEM É AQUILO QUE ELE PENSA

Mudança de dieta alimentar não ajuda uma pessoa que não muda seus pensamentos. Desde que torne seus pensamentos puros, uma pessoa não desejará mais alimentos impuros.

Pensamentos puros criam hábitos de asseio. O chamado santo que não lava seu corpo não é um santo. Aquele que fortaleceu e purificou seus pensamentos não precisa considerar o micróbio malevolente.

Se você deseja aperfeiçoar o corpo, vigie sua mente. Se deseja regenerar seu corpo, embeleze sua mente. Pensamentos de malevolência, inveja, desapontamento e desalento privam o corpo de sua saúde e graça. Um rosto que expressa amargor não surge por acaso: é produzido por pensamentos amargos. Rugas que desfiguram o rosto são traçadas pela loucura, pela paixão e pelo orgulho.

Conheço uma mulher de 96 anos que tem o semblante radiante e inocente de uma garota. Conheço um homem, que está longe da idade madura, cujo rosto é marcado por contornos desarmoniosos. A primeira é o produto de uma disposição doce e animadora; o segundo, resultado da paixão e do descontentamento.

Assim como você não pode ter uma moradia agradável e saudável sem permitir a livre entrada do ar e dos raios do sol em seus aposentos, do mesmo modo, um corpo forte e uma fisionomia radiante, feliz ou serena só podem resultar do livre ingresso na mente de pensamentos de alegria, boa vontade e serenidade.

Nas faces dos idosos há rugas produzidas pela compaixão; outras são produzidas por pensamentos vigorosos e puros; e outras são esculpidas pela paixão: quem não consegue distingui-las? No que diz respeito aos que viveram com retidão, a idade se mostra calma, serena e suavemente sazonada como o pôr do sol. Recentemente, vi um filósofo em seu leito de morte. Sua velhice só se encontrava nos anos decorridos. Morreu tão suave e serenamente como vivera.

O HOMEM É AQUILO QUE ELE PENSA

Nenhum médico é melhor que o pensamento animador para dissipar as doenças do corpo; não há nenhum consolador que se compare à benevolência para dispersar as sombras do desgosto e da dor. Viver continuamente alimentando pensamentos de malevolência, cinismo, suspeita e inveja é o mesmo que estar confinado em uma prisão feita por si mesmo. Mas pensar bem em relação a tudo, animar-se em relação a tudo, aprender pacientemente como descobrir o bem em tudo — esses pensamentos altruístas são os próprios portais do céu, e insistir diariamente nos pensamentos de paz em relação a todas as criaturas traz uma paz abundante a quem conserva tais pensamentos.

Pensamento e objetivo

Enquanto o pensamento não for associado ao objetivo, não haverá realização inteligente. No que se refere à maioria das pessoas, permite-se que o barco do pensamento "derive" pelo oceano da vida. A falta de um objetivo é um vício, e esse ficar à deriva não deve persistir para aquele que deseja dirigir livre de catástrofes e da destruição.

Aqueles que não têm um objetivo central em suas vidas tornam-se presa fácil de preocupações insignificantes, medos, problemas e autopiedade, e tudo isso é indicação de fraqueza, a qual conduz, tão certamente quanto pecados deliberadamente planejados (ainda que por uma estrada diferente), ao fracasso, à infelicidade e às perdas, pois a fraqueza não pode persistir em um universo promotor de força.

A pessoa deveria conceber um objetivo legítimo em seu coração e partir para sua realização. Deveria tornar esse objetivo o ponto centralizador de seus pensamentos. Esse objetivo pode assumir a forma de um ideal espiritual ou ser mundano, dependendo da natureza da pessoa nas circunstâncias do momento; mas, seja qual for o caso, a pessoa deveria focar com firmeza suas forças mentais no objetivo que colocou diante de si. Deveria fazer dele o seu dever supremo e devotar-se a atingi-lo, não permitindo que seus pensamentos se desviem para ideias, fantasias e desejos efêmeros. Essa é a estrada majestosa para o autocontrole e a verdadeira concentração do pensamento. Mesmo que a pessoa não consiga reiteradamente alcançar seu objetivo (que é o que necessariamente ocorrerá até que a fraqueza

O HOMEM É AQUILO QUE ELE PENSA

seja superada), a *força de caráter conquistada* será a medida de seu *verdadeiro* sucesso, e isso formará um novo ponto de partida a favor de poder e triunfo futuros.

Aqueles que não estão preparados para a compreensão de um *grande* objetivo deveriam fixar os pensamentos no cumprimento irrepreensível de seus deveres, não importa quão insignificantes suas tarefas possam parecer. Somente dessa maneira os pensamentos poderão ser reunidos e focados, e a resolução e a energia, desenvolvidas: se isso for alcançado, não haverá nada que não possa ser realizado.

A alma mais fraca, conhecendo sua própria fraqueza e crendo nessa verdade, ou seja, *de que a força só pode ser desenvolvida por meio de esforço e prática,* começará imediatamente, com base nessa crença, a empenhar-se, e, juntando esforço a esforço, redobrando a paciência e a força, jamais cessará de se desenvolver e, por fim, se tornará divinamente forte.

Assim como o ser humano fisicamente fraco é capaz de tornar-se forte mediante o treinamento físico cuidadoso e paciente, o ser humano de pensamentos débeis é capaz de torná-los vigorosos exercitando a si mesmo no pensamento correto.

Afastar a falta de meta e a fraqueza e começar a pensar com um objetivo é ingressar nas fileiras daqueles fortes que somente reconhecem o fracasso como uma das vias para a realização, que faz todas as condições o servirem e que pensa vigorosamente, faz tentativas com destemor e produz realizações de forma imperiosa.

Uma vez tendo concebido seu objetivo, uma pessoa deveria estabelecer uma via *reta* para atingi-lo, não olhando nem para a direita nem para a esquerda. Dúvidas e receios deveriam ser rigorosamente excluídos, pois são elementos desintegradores que rompem a linha reta do esforço, tornando-a torta, ineficaz e inútil. Pensamentos que abrigam dúvida e medo nunca realizam nada e jamais são capazes de fazê-lo. Levam sempre ao fracasso. Se a dúvida e o medo movem-se sorrateiramente e se infiltram, o propósito, a energia, o poder de execução e todos os pensamentos vigorosos deixam de existir.

A vontade de fazer algo provém do conhecimento de que *somos capazes* de fazer. A dúvida e o medo são os grandes inimigos do conhecimento, e aquele que os estimula, que não os destrói, cria para si um obstáculo a cada passo.

Aquele que venceu a dúvida e o medo venceu o fracasso. Todo pensamento seu está associado ao poder, e todas as dificuldades são enfrentadas de maneira corajosa e superadas com sabedoria. Seus objetivos são plantados na estação certa, florescem e produzem frutos que não caem prematuramente no solo.

O pensamento aliado sem medo ao objetivo transforma-se em força criativa: aquele que *sabe* disso está pronto para se tornar algo mais elevado e mais vigoroso do que um mero feixe de pensamentos vacilantes e sensações inconstantes; aquele que *faz* isso tornou-se o controlador consciente e inteligente de seus poderes mentais.

O fator pensamento na realização

Tudo o que um ser humano realiza e tudo o que não consegue realizar é o resultado direto de seus próprios pensamentos. Em um universo ordenado de maneira justa no qual a perda do equilíbrio significaria a total destruição, a responsabilidade individual tem de ser absoluta. A fraqueza e a força de uma pessoa, sua pureza e impureza pertencem a ela, e não a uma outra pessoa; são produzidas por ela mesma, e não por uma outra pessoa; e só podem ser alteradas por ela mesma, nunca por outra pessoa. Sua condição também a ela pertence, e não a outra pessoa. Sua infelicidade e sua felicidade são desenvolvidas a partir de seu interior. Tal como ela pensa ela é; tal como continua a pensar, assim permanecerá.

JAMES ALLEN

Uma pessoa forte só ajuda uma mais fraca se esta *quiser* ser ajudada, e, mesmo nesse caso, a pessoa fraca deve tornar-se forte por si mesma; precisa, por meio de seus próprios esforços, desenvolver a força que admira na outra pessoa. Ninguém, exceto ela mesma, é capaz de alterar sua condição.

É costume das pessoas pensar e dizer: "Muitos são escravizados porque um indivíduo é opressor; dirijamos ódio ao opressor". Ora, há também entre uns poucos que têm aumentado seu número uma tendência a inverter essa opinião e dizer: "Um indivíduo é opressor porque muitos são escravizados; desprezemos os escravizados". A verdade é que o opressor e o escravizado, mergulhados na ignorância, cooperam entre si e, embora pareçam causar mútuas aflições, estão, na realidade, causando aflições a si próprios. Um Conhecimento perfeito distingue a ação da lei na fraqueza do oprimido e a força mal aplicada do opressor; um Amor perfeito, vendo

O HOMEM É AQUILO QUE ELE PENSA

o sofrimento que ambos os estados impõem, não condena nem um nem outro. Uma Compaixão perfeita envolve tanto o opressor quanto o oprimido.

Aquele que venceu a fraqueza e afastou todos os pensamentos egoístas não habita nem com o opressor nem com o oprimido. Ele é livre.

Uma pessoa só pode progredir, vencer e se realizar elevando seus pensamentos. Somente se recusando a elevar seus pensamentos é que pode permanecer fraca, desprezível e miserável.

Antes de realizar qualquer coisa, uma pessoa, mesmo no que diz respeito ao que é mundano, precisa elevar seus pensamentos acima de um comportamento caracterizado por ceder a prazeres baixos da animalidade. É possível que não possa, visando a ter êxito, por qualquer meio, renunciar a *toda* animalidade e ao egoísmo, mas ao menos uma porção destes deve ser sacrificada. Uma pessoa cujo primeiro pensamento é ceder aos seus instintos animais não poderia nem pensar com clareza nem planejar metodicamente; seria incapaz de descobrir e desenvolver seus recursos latentes e falharia em qualquer empreendimento. Não tendo começado corajosamente a controlar seus pensamentos, não se encontra em posição de administrar os negócios e adotar responsabilidades sérias. Não está apta a agir de modo independente e numa situação em que esteja sozinha, e está limitada apenas aos pensamentos que escolhe.

Não pode haver nenhum progresso e nenhuma realização sem sacrifício, e o sucesso mundano de um ser humano se dará à medida que ele sacrificar seus pensamentos confusos de animalidade e fixar sua mente no desenvolvimento de seus planos e no fortalecimento de sua determinação e sua autoconfiança. E, quanto mais alto eleva seus pensamentos, mais se torna corajoso, correto e justo, e maior é o seu sucesso e mais abençoadas e duradouras as suas realizações.

O universo não favorece os gananciosos, os desonestos, os viciosos, embora superficialmente, às vezes, possa parecer que assim o faça; ele auxilia os honestos, os magnânimos, os virtuosos. Todos os grandes mestres de todos os tempos declararam tal coisa de várias formas, e, para prová-la e conhecê-la, basta a uma pessoa persistir, tornando a si mesma mais e mais virtuosa, elevando seus pensamentos.

Realizações intelectuais são o resultado do pensamento consagrado à busca do conhecimento ou do belo e verdadeiro na vida e na natureza. É possível que tais realizações estejam por vezes associadas à vaidade e à ambição, mas não são o resultado dessas características, e sim a consequência natural do esforço longo e árduo e dos pensamentos puros e altruístas.

Realizações espirituais são a consumação de aspirações santas. Aquele que vive constantemente concebendo pensamentos nobres e grandiosos, que insiste em tudo que é puro e altruísta, se tornará, tão certo quanto o sol atinge seu zênite e a lua sua plenitude, sábio e de um caráter nobre e alcançará uma posição de influência e felicidade.

A realização, de qualquer espécie, é o coroamento do esforço, o diadema do pensamento. É apoiando-se no autocontrole, na determinação, na pureza, na retidão e no pensamento bem direcionado que uma pessoa cresce; é apoiando-se na animalidade, na preguiça, na impureza, na corrupção e no pensamento confuso que uma pessoa se rebaixa.

É possível que uma pessoa conquiste muito sucesso no mundo e até atinja alturas sublimes no domínio espiritual para novamente retornar à fraqueza e à infelicidade ao permitir que pensamentos arrogantes, egoístas e corruptos a dominem.

Vitórias conquistadas pelo pensamento correto só podem ser mantidas por meio de vigilância. São muitos aqueles que cedem quando o êxito está assegurado e logo mergulham novamente no fracasso.

O HOMEM É AQUILO QUE ELE PENSA

Todas as realizações, seja no mundo dos negócios, seja no âmbito intelectual, seja no plano espiritual, são o resultado de um pensamento dirigido de maneira a não admitir dúvidas e são regidas pela mesma lei e obedecem ao mesmo método; a única diferença está no *objeto a ser atingido*.

Aquele que deseja realizar pouco tem de sacrificar pouco; aquele que deseja realizar muito tem de sacrificar muito; aquele que deseja alçar as alturas tem de fazer grandes sacrifícios.

Visões e ideais

Os sonhadores são os salvadores do mundo.

Como o mundo visível é sustentado pelo invisível, assim os seres humanos, por meio de todas as suas tentativas, de seus pecados e suas vocações sórdidas, são nutridos pelas belas visões de seus sonhadores solitários. A humanidade não pode esquecer seus sonhadores; não pode deixar seus ideais definharem e morrerem; ela vive neles; ela os conhece como as *realidades* que um dia irá ver e conhecer.

Compositores, escultores, pintores, poetas, profetas, sábios: estes são os criadores do mundo além, os arquitetos do céu. O mundo é belo porque eles existiram; sem eles, a humanidade que trabalha teria perecido.

JAMES ALLEN

Aquele que acalenta uma bela visão, um ideal grandioso em seu coração, um dia a realizará. Colombo acalentou uma visão de um outro mundo e o descobriu; Copérnico acalentou a visão de uma multiplicidade de mundos e de um universo mais amplo e o revelou; Buda contemplou a visão de um mundo espiritual de beleza imaculada e perfeita paz e nele se inseriu.

Acalente suas visões. Alimente seus ideais. Nutra a música que se agita em seu coração, a beleza que se forma em sua mente, o encanto que traja os seus pensamentos mais puros, pois, a partir deles, se desenvolverão todas as condições portadoras do que é aprazível, todo um ambiente celestial; bastará que você se mantenha fiel a eles para que seu mundo seja finalmente construído.

Desejar é alcançar; aspirar é realizar. Se os desejos mais baixos do ser humano forem maximamente satisfeitos, suas aspirações mais puras morrerão de fome por falta de sustento?

A Lei não é assim; esta condição das coisas jamais prevalecerá: "Peça e receba".

Tenha sonhos grandiosos e você se tornará algo semelhante ao que sonha. Sua Visão é a promessa do que você será um dia; o seu Ideal é a profecia do que você finalmente irá desvelar.

A mais grandiosa das realizações foi a princípio e por algum tempo um sonho. O carvalho dorme na bolota; a ave espera no ovo; e um anjo que desperta agita-se na mais elevada visão da alma. Os sonhos são a semeadura das realidades.

As circunstâncias em que você vive podem ser inadequadas, mas não se manterão assim por muito tempo, bastando para isso que você conceba um Ideal e lute para alcançá-lo. Você não pode viajar *interiormente* e ficar imóvel *exteriormente*. Por exemplo, vemos aqui um jovem duramente pressionado pela pobreza e pelo trabalho árduo, confinado por longas horas numa oficina insalubre, carente de formação escolar e de todas as artes do refinamento. Mas ele sonha com coisas melhores; ele pensa em desenvolver sua inteligência, aprimorar-se, adquirir graça e beleza. Concebe, constrói mentalmente uma condição ideal de vida; uma visão de maior liberdade e de um horizonte mais amplo toma conta dele; uma inquietude o incita à ação; e ele utiliza todo o seu tempo livre e seus meios, ainda que poucos, para o desenvolvimento de suas capacidades e seus recursos latentes. Logo sua mente se transforma a tal ponto que a oficina não pode mais retê-lo. Esta adquiriu uma desarmonia tal com sua mentalidade que sai de sua vida como uma roupa que é posta de lado e, com o aumento das oportunidades que se ajustam à esfera de suas capacidades em expansão, ele a transpõe para sempre. Anos depois, vemos esse jovem como um homem totalmente adulto. Encontramo-lo como um senhor de certas forças da mente que ele maneja, exercendo uma influência pelo mundo todo e com um poder quase inigualável. Em suas mãos ele

retém os laços de colossais responsabilidades; ele fala. E veja...
vidas são mudadas; homens e mulheres prendem-se às suas
palavras e remodelam seu caráter, e, semelhante ao Sol, ele
se torna o centro fixo e luminoso em torno do qual giram
inúmeros destinos. Ele concretizou a Visão de sua juventude.
Ele se tornou idêntico ao seu próprio Ideal.

E você também, jovem leitor, concretizará a Visão (não o
desejo fútil) de seu coração, seja ela vil ou nobre, ou uma mistura de ambos, pois você sempre gravitará em torno daquilo
que secretamente mais ama. Em suas mãos serão colocados
os exatos resultados de seus próprios pensamentos; você receberá aquilo que mereceu, nem mais nem menos. Não importa
qual seja o seu atual ambiente, você cairá, permanecerá estável ou se elevará conforme seus pensamentos, sua Visão, seu
Ideal. Você se tornará tão pequeno quanto o desejo que o controla; tão grande quanto a aspiração que é em você dominante.

Nas belas palavras de Stanton Kirkham Davis, "É possível

que você seja o contador e em breve sairá pela porta que por muito tempo lhe pareceu a barreira contra seus ideais, e verá a si mesmo diante de uma audiência — caneta ainda atrás de sua orelha, manchas de tinta em seus dedos — e então aí a torrente de sua aspiração jorrará. Você pode estar conduzindo ovelhas e viajará até a cidade — rústico e boquiaberto; caminhará errante sob a orientação intrépida do espírito até o interior do estúdio do mestre, e depois de algum tempo ele dirá 'Não tenho nada mais para ensinar a você!'. E agora você se tornou o mestre, aquele que realmente tão recentemente sonhou com coisas grandiosas enquanto conduzia ovelhas. Depositará no chão a serra e a plaina para assumir sobre seus ombros a regeneração do mundo".

O imprudente, o ignorante e o preguiçoso, que veem apenas os efeitos aparentes das coisas e não as próprias coisas, falam de sorte, de fortuna e de acaso. Ao observarem um homem enriquecer, dizem: "Como ele tem sorte!". Ao observarem um

O HOMEM É AQUILO QUE ELE PENSA

outro se tornar intelectual, exclamam: "A que alturas ele foi favorecido!". E, diante do caráter repleto de pureza e da ampla influência que exerce um terceiro, comentam: "Como o acaso vem em sua ajuda o tempo todo!". Não levam em conta as tentativas, os fracassos e as lutas que esses homens amargaram voluntariamente a fim de conquistar a experiência que têm agora; desconhecem os sacrifícios feitos por eles, os esforços ousados que empregaram, o exercício de fé que mantiveram, para que pudessem superar aquilo que era aparentemente insuperável e concretizar a Visão de seus corações. Não têm percepção da escuridão e das inquietações; só veem a luz e a alegria, e as chamam de "sorte"; não veem a longa e árdua jornada, se limitando a contemplar a meta agradável, e a chamam de "boa sorte"; não compreendem o processo, mas apenas percebem o resultado, e o chamam de "acaso".

Em todos os negócios humanos há *esforços* e há *resultados*, e a força do esforço é a medida do resultado. Não existe acaso.

"Dons", poderes, posses materiais, intelectuais e espirituais são os frutos do esforço; são pensamentos consumados, objetivos alcançados, visões concretizadas.

A Visão que você glorifica na mente, o Ideal que entroniza no coração — é com isso que você construirá sua vida e é nisso que você se transformará.

Serenidade

A tranquilidade mental é uma das belas joias da sabedoria. É o resultado de um longo e paciente esforço de autocontrole. Sua presença é uma indicação de amadurecimento da experiência e de um conhecimento mais do que ordinário das leis e das operações do pensamento.

Uma pessoa torna-se tranquila à medida que se compreende como um ser que se desenvolve pelo pensamento, pois tal conhecimento exige o entendimento dos outros como produto de pensamento, e, uma vez que desenvolve um entendimento correto, e vê com crescente clareza as relações internas das coisas por meio da ação de causa e efeito, deixa de se alvoroçar, de se irritar, de se inquietar e de se afligir, permanecendo equilibrada, firme, serena.

A pessoa tranquila, tendo aprendido como controlar a si mesma, sabe como ajustar-se aos outros, e estes, por sua vez, sabem reverenciar a força espiritual da pessoa tranquila e sentem que podem aprender com ela e contar com ela. Quanto mais tranquila uma pessoa se torna, maior é o seu sucesso, sua influência, sua capacidade para o bem. Mesmo o comerciante comum assistirá ao aumento de prosperidade de seu negócio quando desenvolver maior autocontrole e maior tranquilidade, visto que as pessoas sempre preferirão lidar com um homem cujo comportamento é positivamente sereno.

A pessoa forte e calma é sempre amada e respeitada. Ela é como uma árvore que oferece sombra em uma terra seca ou uma rocha que oferece abrigo da tempestade. "Quem não ama um coração tranquilo, uma vida com um temperamento suave e equilibrada? Não importa se chove ou se o dia é ensolarado, ou quais mudanças atingem os possuidores dessas bênçãos, pois eles se mantêm sempre brandos, serenos e calmos. Esse equilíbrio

O HOMEM É AQUILO QUE ELE PENSA

admirável de caráter, que chamamos de serenidade, é a última lição da cultura; é o florescimento da vida, os frutos da alma. É precioso como a sabedoria, mais desejável do que o ouro... sim, mesmo do que o ouro puro. Quão insignificante parece a mera busca do dinheiro se comparada com uma vida serena — uma vida que habita o oceano da Verdade, sob as ondas, além do alcance das tempestades, na Tranquilidade Eterna!

"Quantas pessoas que conhecemos que tornam suas vidas amargas, que arruínam tudo que é doce e belo por causa de um temperamento explosivo que destrói seu caráter equilibrado e gera exasperação e ódio! Trata-se de saber se a grande maioria das pessoas não arruína sua vida e compromete sua felicidade por falta de autocontrole. Quão poucas são as pessoas que encontramos na vida dotadas de equilíbrio, que têm aquela estabilidade admirável característica de um caráter consumado!"

Sim, a humanidade oscila de forma rápida e repentina, impulsionada pela paixão descontrolada, e é tumultuada por uma aflição desgovernada, desequilibrada pela ansiedade e pela dúvida. Somente a pessoa sábia, somente aquela cujos pensamentos são controlados e purificados, faz os ventos e as tempestades da alma a obedecerem.

Almas agitadas pela tempestade, onde quer que possam estar, não importa em que condições estejam vivendo, saibam disso: no oceano da vida, as Ilhas Abençoadas sorriem, e a praia ensolarada do ideal de vocês espera sua chegada. Mantenham as mãos firmes no timão do pensamento. No barco de suas almas, o Mestre em comando está reclinado... apenas dorme. Acordem-no. Autocontrole é força; Pensamento correto é domínio; Serenidade é poder. Digam ao seu coração: "Fique em paz, sossegue!".

CONHEÇA OUTRAS OBRAS DA EDITORA

- *A arte de ter razão*, de Arthur Schopenhauer

- *A educação moral*, de Émile Durkheim

- *A Ética*, de Aristóteles

- *A vida intelectual – Seu espírito, suas condições, seus métodos*, de A.-D. Sertillanges

- *Aforismos para a sabedoria de vida*, de Arthur Schopenhauer

- *Crítica da razão pura*, de Immanuel Kant

- *O estoicismo*, de George Stock

Este livro foi impresso pela Gráfica Plena Print
em fonte Arno Pro sobre papel Pólen Bold 90 g/m²
para a Edipro no outono de 2025.